195

PABLO NERUDA

EL HABITANTE Y SU
ESPERANZA

EL HONDERO ENTUSIASTA

TENTATIVA
DEL HOMBRE INFINITO

ANILLOS

QUINTA EDICIÓN

EDITORIAL LOSADA, S. A.
BUENOS AIRES

Edición expresamente autorizada para la
BIBLIOTECA CLÁSICA Y CONTEMPORÁNEA

Queda hecho el depósito que previene la ley 11.723

Marca y características gráficas registradas
en la Oficina de Patentes y Marcas de la Nación

© EDITORIAL LOSADA, S. A.
Alsina 1131,
Buenos Aires, 1957

Quinta edición: 20 - X - 1975

Impreso en la Argentina
Printed in Argentina

Este libro
se terminó de imprimir
el día 20 de octubre de 1975
en Artes Gráficas Bartolomé U. Chiesino, S. A.
Ameghino 838, Avellaneda
Buenos Aires

Esta edición consta
de diez mil ejemplares

EL HABITANTE Y SU
ESPERANZA

I

Ahora bien, mi casa es la última de Cantalao, y está frente al mar estrepitoso, encajonada contra los cerros.

El verano es dulce, aletargado, pero el invierno surge de repente del mar como una red de siniestros pescados, que se pegan al cielo, amontonándose, saltando, goteando, lamentándose. El viento produce sus estériles ruidos, desiguales, según corran silbando en los alambrados o den vueltas su oscura·boleadora encima de los caseríos o vengan del mar océano arrollando su· infinito cordel.

He estado muchas veces solo en mi vivienda mientras el temporal azota la costa. Estoy tranquilo porque no tengo temor de la muerte, ni pasiones, pero me gusta ver la mañana que casi siempre surge limpia y reluciendo. No es raro que me siente entonces en un tronco mirando hasta lejos el agua inmensa, oliendo la atmósfera libre, mirando cada carreta que cruza hacia el pueblo con comerciantes, indios y trabajadores y viajeros. Una especie de fuerza de esperanza se pone en mi manera de vivir aquel día, una manera superior a la indolencia, exactamente superior a mi indolencia.

No es raro que esas veces vaya a casa de Irene. Atravieso ese recinto baldío que me separa del pueblo, cosa de una legua, sigo por las calles deshabitadas y me detengo frente al portón de su casa, donde la espero aparecer.

Si está lavando me gusta ver sus manos que se azu-

lan con el agua fría, si está entre la huerta, me gusta
ver su cabeza entre las pesadas flores del girasol, si no
está, me gusta ver vacío el patio y la huerta y la espero
sin desear que llegue.

II

Irene es gruesa, rubia, habladora, por eso me he
formado el propósito de venirme al pueblo. Lava, canta,
es ágil, rápida, garabatea los papeles con manos invero-
símiles; en realidad la vida sería divertida.

No me saluda desde lejos al acercarse, pero yo me
pongo entre ella y yo para recoger su primer beso
antes de que resbale de su rostro. Espérate, le digo,
abrazándola, no te has acordado de mí en estos largos
días, ¿para qué podía venir? Ella no me oye siquiera,
me arrastra de prisa a contarle mis historias. Me siento
alegre al lado suyo, invadiéndome su salud de piedra
de arroyo.

III

Los cuatro caballos son negros con la luz nocturna
y descansan echados a la orilla del agua como los países en el mapa. Rivas y yo nos juntamos en el Roble
Huacho y echamos a andar a pie sin hablar.

Ladran los perros a millares lejos, en todas partes y
un vaho blanco emana de las calladas lomerías.

—¿Serán las tres?

—Deben ser.

He dado el salto, y con amortiguados movimientos
suelto las trancas.

El piño se levanta y sale con lentitud. Las coigüillas
resuenan profundamente con su intermitencia redo-
blada, metálica, fatal.

Robar caballos es fácil, y contentos Rivas y yo apu-
ramos las bestias. Rivas sabe su oficio y llegará con

el robo a Limaiquén, y nadie como él sabrá ocultarlo y venderlo.

Nos despedimos y a galope violento alcanzo mi camino, desciendo los cerros, y al lado del mar apuro salpicándome, pegándome fuertemente el viento de la noche del mar.

IV

Estoy enfermo y siento el runrún tirante de la fiebre dándome vueltas sobre la paja del camastro. El calabozo tiene una ventanuca muy arriba, muy triste, con sus seis delgados fierros, con su parte de alto cielo. Dos o tres presos son: Diego Cóper, también cuatrero, hombre altanero, de aire orgulloso, y Rojas Carrasco, tipo gordo, sucio, antipático, que no sé qué líos tiene con la policía rural.

Pero sobre todo, el largo día, cuando el verano de esta comarca marina zumba hasta mis oídos como una chicharra, con lejos, lejos, el rumor de la desembocadura, donde recuerdo el muelle internando su solitaria madera, el vaivén del agua profunda, o más distante las carretas atascadas de viejos trigos, la era, los avellanos.

Sólo me apena pensar que haya aprendido las cosas inútilmente; me apena recordar las alegrías de mi destreza, el ejercicio de mi vida conducida como un instrumento en busca de una esperanza, la desierta latitud vanamente explorada con buenos ojos y entusiasmo.

A media tarde se escurre por debajo de la puerta una gallina. Ha puesto después entre la paja del camastro un huevo que dura ahí, asustando su pequeña inmovilidad.

V

Mi querido Tomás:
Estoy preso en la policía de Cantalao, por unos

asuntos de animales. He pasado un mes ocioso, con gran tedio. Es un cuartel campesino, de grandes paredes coloradas, en donde vienen a caer indios infelices y vagabundos de los campos. Yo le escribo para saber de Irene, la mujer de Florencio, a quien deseo que lleve un recado que no necesito decirle. La veo y tengo la sensación de que está sola o de que la maltratarán.

Qué quiere decir esto? Trate de encontrarla. Ella vive frente al chalet de las Vásquez.

Lo abraza su amigo.

VI

Entonces cuando ya cae la tarde y el rumor del mar alimenta su dura distancia, contento de mi libertad y de mi vida, atravieso las desiertas calles siguiendo un camino que conozco mucho.

En su cuarto estoy comiéndome una manzana cuando aparece frente a mí, y el olor de los jazmines que aprieta con el pecho y las manos, se sumerge en nuestro abrazo. Miro, miro sus ojos debajo de mi boca, llenos de lágrimas, pesados. Me aparto hacia el balcón comiendo mi manzana, callado, mientras que ella se tiende un poco en la cama echando hacia arriba el rostro humedecido. Por la ventana el anochecer cruza como un fraile, vestido de negro, que se parara frente a nosotros lúgubremente. El anochecer es igual en todas partes, frente al corazón del hombre que se acongoja, vacila su trapo y se arrolla a las piernas como vela vencida, temerosa. Ay, del que no sabe qué camino tomar, del mar o de la selva, ay, del que regresa y encuentra dividido su terreno, en esa hora débil, en que nadie puede retratarse, porque las condenas del tiempo son iguales e infinitas, caídas sobre la vacilación o las angustias.

Entonces nos acercamos conjurando el maleficio, cerrando los ojos como para oscurecernos por completo, pero alcanzo a divisar por el ojo derecho sus trenzas amarillas, largas entre las almohadas. Yo la beso con reconciliación, con temor de que se muera; los besos se aprietan como culebras, se tocan con levedad muy diáfana, son besos profundos y blandos, o se alcanzan los dientes que suenan como metales, o se sumergen las dos grandes bocas temblando como desgraciados.

Te contaré día a día mi infancia, te contaré cantando mis solitarios días de liceo, oh, no importa, hemos estado ausentes pero te hablaré de lo que he hecho y de lo que he deseado hacer y de cómo viví sin tranquilidad en el hotel de Mauricio.

Ella está sentada a mis pies en el balcón, nos levantamos, la dejo, ando, silbando me paseo a grandes trancos por su pieza y encendemos la lámpara, comemos sin hablarnos mucho, ella frente a mí, tocándonos los pies.

Más tarde, la beso y nos miramos con silencio, ávidos, resueltos, pero la dejo sentada en la cama. Y vuelvo a pasear por el cuarto, abajo y arriba, arriba y abajo, y la vuelvo a besar, pero la dejo. La muerdo en el brazo blanco, pero me aparto.

Pero la noche es larga.

VII

El doce de marzo, estando yo durmiendo, golpea en mi puerta Florencio Rivas. Yo conozco, yo conozco algo de lo que quieres hablarme, Florencio, pero espérate, somos viejos amigos. Se sienta junto a la lámpara, frente a mí y mientras me visto lo miro a veces notando su tranquila preocupación. Florencio Rivas es hombre tranquilo y duro y su carácter es leal y de improviso.

Mi compadre de mesas de juego y asuntos de animales perdidos, es blanco de piel, azul de ojos, y en

13

el azul de ellos, gotas de indiferencia. Tiene la nariz ladeada y su mano derecha contra la frente y en la pared su silueta negra, sentada. Me deja hacer, con mi lentitud y al salir me pide mi poncho de lana gruesa.

—Es para un viaje largo, niño.

Pero él, que está tranquilo esta noche, mató a su mujer, Irene. Yo lo tengo escrito en los zapatos que me voy poniendo, en mi chaqueta blanca de campero, lo leo escrito en la pared, en el techo. Él no me ha dicho nada, él me ayuda a ensillar mi caballo, él se adelanta al trote, él no me dice nada. Y luego galopamos, galopamos fuertemente a través de la costa solitaria, y el ruido de los cascos hace tas tas, tas tas, así hace entre las malezas aproximadas a la orilla y se golpea contra las piedras playeras.

Mi corazón está lleno de preguntas y de valor, compañero Florencio. Irene es más mía que tuya y hablaremos; pero galopamos, galopamos, sin hablarnos, juntos y mirando hacia adelante, porque la noche es oscura y llena de frío.

Pero esta puerta la conozco, es claro, y la empujo y sé quién me espera detrás de ella, sé quién me espera, ven tú también, Florencio.

Pero ya está lejos y las pisadas de su caballo corren profundamente en la soledad nocturnal; él ya va arran- cando por los caminos de Cantalao hasta perderse de nombre, hasta alejarse sin regreso.

VIII

La encontré muerta, sobre la cama, desnuda, fría, como una gran lisa del mar, arrojada allí entre la espuma nocturna. La fui a mirar de cerca, sus ojos estaban abiertos y azules como dos ramas de flor sobre su rostro. Las manos estaban ahuecadas como queriendo aprisionar humo, su cuerpo estaba extendido

14

todavía con firmeza en este mundo y era de un metal pálido que quería temblar.

Ay, ay las horas del dolor que ya nunca encontrará consuelo, en ese instante el sufrimiento se pega resueltamente al material del alma, y el cambio apenas se advierte. Cruzan los ratones por el cuarto vecino, la boca del río choca con el mar sus aguas llorando; es negra, es oscura la noche, está lloviendo.

Está lloviendo y en la ventana donde falta un vidrio, pasa corriendo el temporal, a cada rato, y es triste para mi corazón la mala noche que tira a romper las cortinas, el mal viento que silba sus movimientos de tumultos, la habitación donde está mi mujer muerta, la habitación es cuadrada, larga, los relámpagos entran a veces, que no alcanzan a encender los velones grandes, blancos, que mañana estarán. Yo quiero oír su voz, de inflexión hacia atrás tropezando, su voz segura para llegar a mí como una desgracia que lleva alguien sonriéndose.

Yo quiero oír su voz que llama de improviso, originándose en su vientre, en su sangre, su voz que nunca quedó parada fijamente en lugar ninguno de la tierra, para salir a buscarla. Yo necesito agudamente recordar su voz que tal vez no conocí completa, que debí escuchar no sólo frente a mi amor, en mis oídos, sino que detrás de las paredes, ocultándome para que mi presencia no la hubiera cambiado. Qué pérdida es ésta? Cómo lo comprendo?

Estoy sentado cerca de ella, ya muerta, y su presencia, como un sonido ya muy grande, me hace poner atención sorda, exasperada, hasta una gran distancia. Todo es misterioso, y la velo toda la triste oscura noche de lluvia cayendo, sólo al amanecer estoy otra vez transido encima del caballo que galopa el camino.

IX

Con gran pasión las hojas arrastran quejando, los pájaros se dejan caer desde las altas pajareras y ruedan ruidosos hasta el pálido ocaso, donde destiñen levemente, y existe por toda la tierra un grave olor de espadas polvorientas, un perfume sin descanso que hecho una masa por completo se está flotando echado entre los largos directos árboles como un animal gris, pelado, de alas lentas. Oh, animal del otoño, hecho de deshechas mariposas con olor a polvo de la tierra notándose aún callado en la noche que sube de los agujeros tapándolo todo con su manto sin cesar.

Porque la tarde es un capullo frío de donde como negras flores emergen sombras, pasan carruajes triturando el amarillo de las hojas, amarillo lívido de caídas muertas arrastradas quebradizas lencerías, parejas inclinadas en sí mismas que pasan tambaleando como campanas, dirigiéndose hacia esa dirección en que un naipe de metal en monedas descuella sobre la pared. Otoño asustado, vaivén de cosas sin ruido que olfateándose se advierten, de esa manera irreductible por la cual el ciego conoce el terciopelo y la bestia se somete a la noche.

Hasta clavado implacablemente en la atmósfera que rodea las constelaciones, circula como un anillo largo aventando soledades, trizas de ilusiones, aquellas no ya definitivamente perdidas, porque son las que el viento puede cimbrar, dejar caer a latigazos, flotando entremedio de las montoneras de hojas rotas, sumiéndose en lo profundo de los patios deshabitados, de las alcobas demasiado grandes, llegando a todo inundarlo y a establecerse como no se puede decir qué composición misteriosa en los espejos, en las ateridas arañas de luz, en los flecos de los cansados sillones, ay, porque todo eso quiere recobrarse hacia su verdadera, ignorada vida secreta y tira a regresar sin sentirse demasiado muerto.

X

Era indudable que José Silva terminaría en aquello, dándose de balazos con cualquiera en una de esas lúgubres estaciones que se acercan a Cantalao, y cuando todos los cálculos están hechos, cálculos que van amontonándose en la misma igualdad negativa, deshacer ese tumulto con una rápida acción es. el verdadero camino. Yo escogí la huida, y a través de pueblos lluviosos incendiados, solitarios, caseríos madereros en que indefectiblemente uno se espera con los inmensos castillos de leña, con el rostro de los ferroviarios desconocidos y preocupados, con los hoteleros y las hoteleras, y en el fondo del cuarto donde la vieja litografía hamburguesa, la colcha azul, la ventana con vista a la lluvia, el espejo de luna nublada de donde salen corriendo los días jueves, el lavatorio, el cántaro, la bacinilla, la desesperación de salir de ninguna parte y llegar allí mismo. Pero su retrato me acompañaba, por supuesto, su retrato en que Irene tiene esa actitud magnífica, de tranquila perseguidora, con la mano dejada allí por el fotógrafo, y los ojos azules creados allí por Dios.

Y en realidad al encontrarla en aquel pequeño hotel "Welcome", al lado de la prefectura, sólo su impermeable cerrado la alejaba de su retrato.

Cómo librarme de aquella mujer? Le dije cariñosamente buenos días negándome su aliento, había creído hundir su miseria, su abandono en aquel caserío abandonado, no era más que un montón de recuerdos dolorosos. Has venido a afirmarme tu última luz? En el tiempo mojado esperé su palabra, que llegaba otra vez.

—Florencio estuvo muy enfermo, y a menudo te recordaba llamándote, pero no supe dónde buscarte; desde que vendiste la tienda nadie te puede descubrir.

Dios mío, qué cosas pasan! Nada de eso! A nadie

he querido hablar de ello; se quedó con sus lágrimas.

—Yo tampoco podía olvidarte. No era necesario sin embargo encontrarnos a cada paso, y qué cosa más difícil que reponer esa solicitud de los viejos días perdidos. Miraba pasar los trenes que dejan a los pueblos y nunca te esperé, y ahí está la prueba, tu retrato de niña muy niña que a todas partes me siguió guardado con su orilla negra de luto y completamente inolvidable.

Elvira venía cada mañana, no la miraba; tu presencia volvía hasta hoy.

XI

Andrés me despertaba de la misma manera todos los días riéndose a grandes risas. Su carcajada sobresale por encima de él porque es tan pequeño que casi no lo encuentro.

De veras, es horrible esta vida, la Lucha, el sol entraba cada mañana, la Lucha aún todavía tan niña, y arrastrarse hasta el muelle desde donde se pierden todos los sentidos. Pero habrá algún rincón de piedras duras y enormes y teñidas de vetas verdes desde donde un hombre con vocación de soledad puede esperar todas las tardes a una misma mujer.

—Ah, ya sé, te quedarás todos los días jugando a la brisa, con Andrés, o Aguilera con los brazos en alto. Ayer te vi pasar y eras tú, no me lo niegues, desde dos leguas lo habría asegurado. A la Lucía ya casada no le sientan esos amoríos. Sí, es ella, ya lo sé.

Sí, era en verdad Lucía, nadie más atrayente que ella en aquella casa de huéspedes polvorienta, en que su gracia consistía en arrodillarse al pie de mi cama, cada vez que estuve enfermo, en consultar las mesas adivinas, en llenar las paredes de mi cuarto con sus dibujos de la academia, de la cual ella parecía algo nostálgica, con su cabeza teñida vivamente, sus ojos de pájaro alocado, nunca pudo entender nada. Sí, pero desde tan lejos la diviso destacando su vestido rojo en el sobaco palidecido del cerro, ella esperándome, y ay, cuánto te amo, Lucía!, amo tu cuerpo estrecho y sin egoísmo completamente pronto a mi sed, como lo abandonado de tu corazón y la punta de tus zapatos arrugados levemente por la pobreza, y caminando juntos por el sendero por donde hay caracoles, que es allí donde el mar océano azota su olor de ostras de otoño y los pájaros encima con lentitud de paracaídas su comida de algas durmiendo, es placentero al corazón de los enamorados ir sin acordarse de Sebastián ni de su invitación, ir, andando con las caderas pegadas; delicioso marcar profundamente el peso de la huella sobre la humedad de la costa, anillo de humedad de culebra infinita, que sobrecorre al lado de la orilla del mar moviéndose; Lucía, la de los ojos grandes como tortugas y que nunca están saliendo de su sorpresa, motivada por todas las pequeñas cosas del mundo, donde tienen su parte el alhelí, el cinematógrafo, la flora aplastada de las cretonas, su collar de cuentas de vidrio, y la aventura de mi vida que ella semeja desdeñar. Ay, por Dios, apretémonos juntos, que la Estrella de esperanza comienza a sonar su metal húmedo de todo el cielo, sí, y no te ocupes mucho de lo que está demasiado lejos. Sólo deseo lo que tu sombra topó por un instante al crecer o temblar; es demasiado para lo que necesito tu nuca blanca y pequeña donde puedo tenderme a escribir con delicadeza, no eres tú la que me está esperando en el rincón que conozco de esta edad solitaria?

Lo recuerdo, eres tú la que hiciste un bosquejo ya olvidado, eran dos sombras metidas en una ventana, que ella era blanca y débil como la que yo conocí, y él con el sombrero agachado y el sobretodo hasta el cuello y su silueta negra de guardador tuyo; bosquejo que tú rompiste al otro día, porque al arrodillarte al pie de mi cama notaste una presencia ajena y mi ausencia con ella.

Poco importa; vamos, cántame la barcarola de todo lo infinito que yo deseo, mi pequeña; estamos los dos, y somos los habitantes del límite que sólo nosotros podríamos pisar; cántame la barcarola de las tumultuosas soledades del mar, lo profundo, lo oscuro, lo tumultuoso de la noche del mar, quiero saber por tu boca de color de coral infantil el crecimiento de las mareas, cuéntame cómo se arrollan, se estiran, se encogen llevando adentro pescados vivos y floraciones de luto; mi pequeña Lucía, cántame, encántame con el crecer de la larva de las tinieblas, allí donde comienzan a despuntar el agujero de las ventanas, el alto brillo de las embarcaciones del tiempo, todo lo que aman los hombres y las mujeres unidos muy ardientemente, y lo que yo solo, pobre habitante perdido en la sala de una esperanza que nunca se supo limitar, puede desear para acallar sus pensamientos tristes.

Sin embargo, no es tarde y estoy contento. Lucía, cómo te amo. Te llevo del brazo como a mi pequeña quimera, y cuando quieres saltar una charca de la salobre agua del mar, yo te levanto un poco con alegría, tanto como pueden mis fuerzas.

Estás radiante. El sol se parte a pedazos en tu pequeña frente, que corre a lo largo de tu cuerpo como un vestido. Entonces, hemos llegado ya a la gruta de nuestros descansos, y ardientemente besándonos, nos miramos con ojos tranquilos que se agrandan con la proximidad, siendo después el más suave de mis besos el que te hace caer dulcemente hacia atrás.

XII

Hecha la cruz de verde madera, muchos días fueron cruzando encima de mí sin que yo advirtiera, corriendo entre los malezales secretos y húmedos vecinos del

cementerio, tumbado al borde de la quebrada de Ra-
rinco, hasta que el primer temporal hízome rodar a
la ventana de mi vivienda. De fuera del mar profundamente salpica contra los pies del cerro callado, ama-
rillento, inmóvil.

Está extendido de plantas duras, intermitentes, o largos herbarios roídos por el color del tiempo y la asis-
tencia de la soledad, cayendo sobre su grupa como
secas gualdrapas.

La orilla del mar es blanca y paralela desde el cuarto, moviéndose su patinaje triste y lamentándose, detrás su conjunto se hace azul, lejano, lejanísimo, y los
pájaros que hasta ese límite vuelan graznando tal vez
no encuentran piedra donde parar el aletazo.

Y luego existen esos días que se arrastran desgra-
ciadamente, que pasan dando vueltas sin traerse algo,
sin llevarse nada; sin llevarse ni traerse nada, el tiempo
que corre a nuestro lado, ciclista sin apuro y vestido
de gris, que tumba su bicicleta sobre el domingo, el
jueves, el domingo de los pueblos y entonces, cuando el aire más parece inmóvil, y nuestro anhelo se hace
invisible como una gota de la lluvia pegándose a un
vidrio, y sobre el techo de mi habitación demasiado
apartada, persiste, insiste, cayendo el aguacero, vién-
dose en las partes oscuras de la atmósfera, especial-
mente si en la ventana del frente falta un vidrio, su
tejido cruzándose, siguiéndose, hasta el suelo.

Muchos días llevo paseando de largo a largo el piso
de mi cuarto, y mucho ha de ser el tiempo cuando
aún la congoja no se cae de mis hombros; mucho ha
de ser el tiempo.

XIII

Son muchos los que entran en el almacén, y yo
estuve allí desde temprano. He arreglado las cajas sobre las estanterías, alineando los pesados rollos de gé-
nero, muerdo las galletas y los dulces.

Después de una larga temporada de inactividad es difícil recobrar el sentido de la acción, que exige sostenidamente el equilibrio de aquellos imposibles detalles. Me decidí a salir de mi habitación que tanto he querido para hacerme cargo de la tienda de mi hermano, me agradó para aquel largo instante detenido cualquier ocupación sedentaria.

Yo soy perezoso y soñador, y niego casi siempre a los parroquianos las pequeñas mercaderías que solicitan de continuo. Pronto va tomando todo esto un aire de bancarrota y de término. Pero me encuentro bien. Irene, hela otra vez volviendo a pasar frente a mi puerta, aunque bien lo sabe, su vestido rosado y su sombrero verde ya no despiertan mi atención.

Sí, es bien seguro, ella quiere envanecerse sola, topando débilmente mi reconcentrada pasión como desde lejos, y no sabiendo, pero yo apenas si la miré. Y cuando su boca frente a mí, y todavía ay!, completamente inolvidable me preguntó el precio de la seda y del pañuelo que yo llevaba al cuello, yo, estoy seguro, le dije aquellos precios sin pizca de impaciencia.

A veces, cuando el aburrimiento es demasiado grande, este destierro me parece muy amargo. Pero, qué es lo que hay detrás del límite de este pueblo? Qué placeres marcan los itinerarios que no conozco? Qué sorpresa de imprevista ráfaga marcan los acontecimientos sucedidos en la distancia?

Para mí las horas son iguales, y se tiran a estrellones sobre el mismo atardecer. En la tienda el gato me espera cada mañana, cambia un poco su actitud según sean los ayunos que le impone mi negligencia. Pero su amo también ayuna. Porque hasta me olvido de comer, en la somnolencia de transcursos idénticos, en la inmovilidad exacta de cosas que me rodean.

Bueno, esto debe tener algún fin. O tal vez, éste es el fin.

XIV

"Pero, por desgracia, ha-
bíase metido entonces en
un mal negocio."

Loti. — *Mi hermano Ives.*

Voy a decir con sinceridad mi caso; lo he explicado con claridad porque yo mismo no lo comprendo. Todo sucede dentro de uno con movimientos y colores confusos, sin distinguirse. Mi única idea ha sido vengarme.

Han sido largos días en que esta idea comienza a despertar, a apartarse de las otras, viniendo, reviniendo como cosa natural e inapartable. Y allí, en el círculo elegido del blanco se clava de repente calladamente la determinación.

Mi hombre contra nada huye o está lejos. Conozco todos los paraderos de Florencio, los nombres, las profesiones, las ciudades y los campos en que cruzó el paso de mi antiguo camarada. El ataque lo he meditado detalle por detalle, volviéndome loco de noche, revolcando esa acción desesperada que debe libertar mi espíritu. Como un tremendo obstáculo en un camino necesario ese acto se ha puesto en mi existencia, y este tiempo de desorientación y de fatiga sólo hace no más que aislarlo.

Frente a frente a un individuo odiado desde las raíces del ser, hablar con voz callada el padecimiento, y descifrar con lentitud la condena, no enumerar los dolores, las angustias del tiempo forzado, para que ellos no crezcan y debiliten la voluntad de obrar, estar atentos y seguros al momento en que la bala rompa el pecho del otro, y de los dos aventureros que fuimos, quedarse muerto uno por allí mismo, sobre las tablas de una casa vacía, en el campo, en la ciudad, en los puertos, tenderlo muerto allí mismo por una inmediata voluntad humana.

Y que ese gran cumplimiento vaya a ser el mío, que esa gran seguridad tenga que ser·mi alimentación de pesares tragados con continuidad que sólo yo conozco y sea yo también una vez llegado el término, el dueño de mi parte de libertades.

Entonces de la noche que palpita encima de mi lecho se cae deshaciéndose una campanada: son iguales en toda la tierra las vigilias. Es extraño, ayer cuando subía la escala a oscuras, crujió muchas veces, y recibí de repente la sensación del olor del mar. Tendré cuidado. La distancia del mar es opresora, invade, subí los escalones pensando en ella, y la manera de medirla poniendo mi cuerpo en su orilla alargándolo hasta palidecer.

Ay de mí, ay del hombre que puede quedarse solo con sus fantasmas.

XV

Os debo contar mi aventura, a vosotros los que por completo conocéis el secreto de las noches y os alimentáis de ese misterio, a vosotros los desinteresados vigilantes que tenéis los ojos abiertos en la puerta de los túneles, allí donde una luz roja parpadea el peligro, y gusanos de luz verde cruzan su vientre, a vosotros los que conocéis el destino de la vigilia y que en el mar, en el desierto, en el destierro, veis nacer y crecer las grandes mariposas de las de trapo que brotan del sueño incompartible, a vosotros los pescadores, poetas, panaderos, guardianes de faro, y a los que demasiado celosos por guardar una inquietud, conocen el riesgo de haber estado una sola vez siquiera frente a lo indescifrable.

También de noche he entrado titubeante en la casa del buscado, con el frío del arma en la mano, y con el corazón lleno de amargas olas. Es de noche, crujen los escalones, cruje la casa entera bajo las pisadas del homicida que son muy leves y muy ligeras sin embargo, y en la oscuridad negra que se desprende de todas las cosas, mi corazón latía fuertemente. También he entrado en la habitación del encontrado, allí las tinieblas ya habían bajado hasta sus ojos, su sueño era seguro porque él también conoce lo inexistente: mi antiguo compañero roncaba a tropezones, y sus ojos los cerraba fuertemente, con fuerza de hombre sabio, como para guardar su sueño para siempre. Entonces, qué hace entonces ese pálido fantasma al cual algo de acero le brilla en la mano levantada?

Estaba durmiendo, soñaba que en el gran desierto confundido de arenas y de nombres, nacía una escalera pegándose del suelo al cielo, y él al subir sentía su alma confundida. Quién eres tú, ladrona que acurrucada entre los peldaños coses silenciosamente y con una sola mano? Todo es del mismo color, un gris de fría noche de otoño, todo tiene el color de viejos metales gastados, y también del tiempo. He aquí que de repente la vieja ladrona se para ante Florencio. Es una equivocación, cómo podía ser tan grande? Su voz sale con ruido de olas de su única mano, pero no se podía entender su lenguaje. Me engañaba, todo era color de naranja, todo era como una sola fruta, cuya luz misteriosa no podía madurar, y ante ese silencio no se podía comprender nada. Qué buscábamos allí? Sin duda no veníamos por ningún instrumento olvidado, y repito que este color es muy extraño, como si allí se amontonasen millones de cáscaras cárdenas.

Las bestias retrocedían sueltas hasta encontrar su salida. El temor me hacía arrancar a mí también parándome al borde de la corriente de aquella avenida. Hay detrás de todo esto también una mujer durmiendo, él la recuerda sin concisión. De toda esa zozobra emergen destellos que quisieran precisar su forma. Bueno, está tendida de lado, y los peces se amontonan queriendo sorprender su mirada, pero ella es demasiado dulce y pálida para poder mirar. No mira, sus ojos están fatigados; sus manos también están fatigadas, solamente querían crecer. Quién podría decir hasta dónde iban a llegar? He sentido su frío sobre mi frente, su frío de riel mojado por el rocío de la noche, o también de violetas mojadas. El prado de las violetas es inmenso, subsiste a pesar de la lluvia, todo el año los árboles de las violetas están creciendo y se hunden bajo mis pies como coles. Ésa es la verdad. Pero es imposible encontrar nada en esa región, las violetas rotas se componen con rapidez, crecen detrás de nosotros y a nuestro alrededor sólo existe este pesado muro, espeso, blando, verde, azul. Entonces tomé el hacha de mi compañero, pero algo extraño observé que pasaba, era mi hacha leñera la que mis árboles habían robado, y vi su luz de acero temblando fríamente sobre mi cabeza. Tendré cuidado. Será necesario traerla amarrada a mis tobillos, y ella gritará, os lo aseguro, aullará lúgubremente como un perro.

Yo he estado solo a solo, durmiendo el hombre que debo matar, os lo aseguro, pero entre mi mano levantada con el arma brillando, se ha interpuesto su sueño como una pared. Lo juro, muchas veces bajé el arma contra ese material impenetrable, su densidad sujetaba mi mano, y yo mismo, en la solitaria vivienda, en que yo tampoco estaba, yo también me puse a soñar.

Ahora estoy acodado frente a la ventana, y una gran tristeza empaña los vidrios. Qué es esto? Dónde estuve? He aquí que de esta casa silenciosa brota también el olor del mar, como saliendo de una gran valva oceánica, y donde estoy inmóvil.

Es hora, porque la soledad comienza a poblarse de monstruos; la noche titila en una punta de colores caídos, desiertos, y el alba saca llorando los ojos del agua.

26

EL HONDERO ENTUSIASTA

ADVERTENCIA DEL AUTOR A LA
SEGUNDA EDICIÓN

Los poemas recogidos en este libro formaron parte de un ciclo de mi producción desarrollada hace ya cerca de diez años. La influencia que ellos muestran del gran poeta uruguayo Carlos Sabat Ercasty y su acento general de elocuencia y altivez verbal me hicieron sustraerlos en su gran mayoría a la publicidad. Ahora, pasado el período en que la publicación de EL HONDERO ENTUSIASTA *me hubiera perjudicado íntimamente, los he entregado a esta editorial, como un documento, válido para aquellos que se interesan en mi poesía. El libro original contenía un número mucho mayor de composiciones que, si faltan en este cuaderno, es porque se extraviaron para siempre. También, muchas de las que aquí aparecen, van inconclusas, con pedazos de menos, fragmentos caídos al roce del tiempo, perdidos. Me hubiera gustado poseer todos los versos de este tiempo sepultado, para mí prestigiado del mismo interés que nimba las viejas cartas, ya que este libro no quiere ser, lo repito, sino el documento de una juventud excesiva y ardiente.*

No he alterado ni agregado ni suprimido nada de estos versos renacidos, he querido preservar su autenticidad, su verdad olvidada.

NERUDA.

Enero de 1933.

HAGO GIRAR MIS BRAZOS...

Hago girar mis brazos como dos aspas locas...
en la noche toda ella de metales azules.

Hacia donde las piedras no alcanzan y retornan.
Hacia donde los fuegos oscuros se confunden.
Al pie de las murallas que el viento inmenso abraza.
Corriendo hacia la muerte como un grito hacia el eco.

El lejano, hacia donde ya no hay más que la noche
y la ola del designio, y la cruz del anhelo.
Dan ganas de gemir el más largo sollozo,
de bruces frente al muro que azota el viento inmenso.

Pero quiero pisar más allá de esa huella:
pero quiero voltear esos astros de fuego:
lo que es mi vida y es más allá de mi vida:
eso de sombras duras, eso de nada, eso de lejos:
quiero alzarme en las últimas cadenas que me aten,
sobre este espanto erguido, en esta ola de vértigo
y echo mis piedras trémulas hacia este país negro,
solo, en la cima de los montes,
solo, como el primer muerto,
rodando enloquecido, presa del cielo oscuro
que mira inmensamente, como el mar en los puertos.

Aquí, la zona de mi corazón,
llena de llanto helado, mojada en sangres tibias.

Desde él siento saltar las piedras que me anuncian.
En él baila el presagio del humo y la neblina.
Todo de sueños vastos caídos gota a gota.
Todo de furias y olas y mareas vencidas.
Ah, mi dolor, amigos, ya no es dolor de humano.
Ah, mi dolor, amigos, ya no cabe en mi vida.
Y en él cimbro las hondas que van volteando estrellas!
Y de él suben mis piedras en la noche enemiga!

Quiero abrir en los muros una puerta. Eso quiero.
Eso deseo. Clamo. Grito. Lloro. Deseo.
Soy el más doloroso y el más débil. Lo quiero.
El lejano, hacia donde ya no hay más que la noche.

Pero mis hondas giran. Estoy. Grito. Deseo.
Astro por astro, todos fugarán en astillas.
Mi fuerza es mi dolor, en la noche. Lo quiero.
He de abrir esa puerta. He de cruzarla. He de vencerla.
Han de llegar mis piedras. Grito. Lloro. Deseo.

Sufro, sufro y deseo. Deseo, sufro y canto.
Río de viejas vidas, mi voz salta y se pierde.
Tuerce y destuerce largos collares aterrados.
Se hincha como una vela en el viento celeste.
Rosario de la angustia, yo no soy quien lo reza.
Hilo desesperado, yo no soy quien lo tuerce.
El salto de la espada a pesar de los brazos.
El anuncio en estrellas de la noche que viene.
Soy yo: pero es mi voz la existencia que escondo.
El temporal de aullidos y lamentos y fiebres.
La dolorosa sed que hace próxima el agua.
La resaca invencible que me arrastra a la muerte.

Gira mi brazo entonces y centellea mi alma.
Se trepan los temblores a la cruz de mis cejas.
He aquí mis brazos fieles! He aquí mis manos ávidas!

He aquí la noche absorta! Mi alma grita y desea!
He aquí los astros pálidos todos llenos de enigma!
He aquí mi sed que aúlla sobre mi voz ya muerta!
He aquí los cauces locos que hacen girar mis hondas!
Las voces infinitas que preparan mi fuerza!
Y doblado en un nudo de anhelos infinitos,
en la infinita noche suelto y suben mis piedras.

Más allá de esos muros, de esos límites, lejos
debo pasar las rayas de la lumbre y la sombra.
Por qué no he de ser yo? Grito. Lloro. Deseo.
Sufro, sufro y deseo. Cimbro y zumban mis hondas.
El viajero que alargue su viaje sin regreso.
El hondero que trice la frente de la sombra.
Las piedras entusiastas que hagan parir la noche.
La flecha, la centella, la cuchilla, la proa.
Grito. Sufro. Deseo. Se alza mi brazo, entonces,
hacia la noche llena de estrellas en derrota.

He aquí mi voz extinta. He aquí mi alma caída.
Los esfuerzos baldíos. La sed herida y rota.
He aquí mis piedras ágiles que vuelven y me hieren.
Las altas luces blancas que bailan y se extinguen.
Las húmedas estrellas absolutas y absortas.
He aquí las mismas piedras que alzó mi alma en
                                        [combate
He aquí la misma noche desde donde retornan.

Soy el más doloroso y el más débil. Deseo.
Deseo, sufro, caigo. El viento inmenso azota.
Ah, mi dolor, amigos, ya no es dolor de humano!
Ah, mi dolor, amigos, ya no cabe en la sombra!
En la noche toda ella de astros fríos y errantes,
hago girar mis brazos como dos aspas locas.

ES COMO UNA MAREA...

Es como una marea, cuando ella clava en mí
sus ojos enlutados,
cuando siento su cuerpo de greda blanca y móvil
estirarse y latir junto al mío,
es como una marea, cuando ella está a mi lado.

He visto tendido frente a los mares del Sur,
arrollarse las aguas y extenderse
inconteniblemente,
fatalmente
en las mañanas y al atardecer.

Agua de las resacas sobre las viejas huellas,
sobre los viejos rastros, sobre las viejas cosas,
agua de las resacas que desde las estrellas
se abre como una inmensa rosa,
agua que va avanzando sobre las playas como
una mano atrevida debajo de una ropa,
agua internándose en los acantilados,
agua estrellándose en las rocas,
agua implacable como los vengadores
y como los asesinos silenciosa,
agua de las noches siniestras
debajo de los muelles como una vena rota,
como el corazón del mar
en una irradiación temblorosa y monstruosa.

Es algo que me lleva desde adentro y me crece
inmensamente próximo, cuando ella está a mi lado,
es como una marea rompiéndose en sus ojos
y besando su boca, sus senos y sus manos.

Ternura de dolor, y dolor de imposible,
ala de los terribles deseos,
que se mueve en la noche de mi carne y la suya
con una aguda fuerza de flechas en el cielo.

Algo de inmensa huida,
que no se va, que araña adentro,
algo que en las palabras cava tremendos pozos,
algo que, contra todo se estrella, contra todo,
como los prisioneros contra los calabozos!

Ella, tallada en el corazón de la noche,
por la inquietud de mis ojos alucinados:
ella, grabada en los maderos del bosque
por los cuchillos de mis manos,
ella, su goce junto al mío,
ella, sus ojos enlutados,
ella, su corazón, mariposa sangrienta
que con sus dos antenas de instinto me ha tocado!

No cabe en esta estrecha meseta de mi vida!
Es como un viento desatado!

Si mis palabras clavan apenas como agujas
debieran desgarrar como espadas o arados!

Es como una marea que me arrastra y me dobla,
es como una marea, cuando ella está a mi lado!

ERES TODA DE ESPUMAS...

Eres toda de espumas delgadas y ligeras
y te cruzan los besos y te riegan los días.
Mi gesto, mi ansiedad cuelgan de tu mirada.
Vaso de resonancias y de estrellas cautivas.
Estoy cansado: todas las hojas caen, mueren.
Caen, mueren los pájaros. Caen, mueren las vidas.
Cansado, estoy cansado. Ven, anhélame, víbrame.
Oh, mi pobre ilusión, mi guirnalda encendida!
El ansia cae, muere. Cae, muere el deseo.
Caen, mueren las llamas en la noche infinita.

Fogonazo de luces, paloma de gredas rubias,
líbrame de esta noche que acosa y aniquila.

Sumérgeme en tu nido de vértigo y caricia.
Anhélame, retiéneme.
La embriaguez a la sombra florida de tus ojos,
las caídas, los triunfos, los saltos de la fiebre.
Ámame, ámame, ámame.
De pie te grito! Quiéreme.
Rompo mi voz gritándote y hago horarios de fuego
en la noche preñada de estrellas y lebreles.
Rompo mi voz y grito. Mujer, ámame, anhélame.
Mi voz arde en los vientos, mi voz que cae y muere.

Cansado. Estoy cansado. Huye. Aléjate. Extínguete.
No aprisiones mi estéril cabeza entre tus manos.

Que me crucen la frente los látigos del hielo.
Que mi inquietud se azote con los vientos atlánticos.
Huye. Aléjate. Extínguete. Mi alma debe estar sola.
Debe crucificarse, hacerse astillas, rodar,
verterse, contaminarse sola,
abierta a la marea de los llantos,
ardiendo en el ciclón de las furias,
erguida entre los cerros y los pájaros,
aniquilarse, exterminarse sola,
abandonada y única como un faro de espanto.

SIENTO TU TERNURA...

Siento tu ternura allegarse a mi tierra,
acechar la mirada de mis ojos, huir,
la veo interrumpirse, para seguirme hasta la hora
de mi silencio absorto y de mi afán de ti.
Hela aquí tu ternura de ojos dulces que esperan.
Hela aquí, boca tuya, palabra nunca dicha.
Siento que se me suben los musgos de tu pena
y me crecen a tientas en el alma infinita.

Era esto el abandono, y lo sabías,
era la guerra obscura del corazón y todos,
era la queja rota de angustias conmovidas,
y la ebriedad, y el deseo, y el dejarse ir,
y era eso mi vida,
era eso que el agua de tus ojos llevaba,
era eso que en el hueco de tus manos cabía.

Ah, mariposa mía y arrullo de paloma,
ah vaso, ah estero, ah compañera mía!
Te llegó mi reclamo, dímelo, te llegaba,
en las abiertas noches de estrellas frías,
ahora, en el otoño, en el baile amarillo
de los vientos hambrientos y las hojas caídas?

Dímelo, te llegaba,
aullando o cómo, o sollozando,

en la hora de la sangre fermentada
cuando la tierra crece y se cimbra latiendo
bajo el sol que la raya con sus colas de ámbar?

Dímelo, me sentiste
trepar hasta tu forma por todos los silencios,
y todas las palabras?
Yo me sentí crecer. Nunca supe hacia dónde.
Es más allá de ti. Lo comprendes, hermana?
Es que se aleja el fruto cuando llegan mis manos
y ruedan las estrellas antes de mi mirada.

Siento que soy la aguja de una infinita flecha,
y va a clavarse lejos, no va a clavarse nunca,
tren de dolores húmedos en fuga hacia lo eterno,
goteando en cada tierra sollozos y preguntas.

Pero hela aquí, tu forma familiar, lo que es mío,
lo tuyo, lo que es mío, lo que es tuyo y me inunda,
hela aquí que me llena los miembros de abandono,
hela aquí, tu ternura,
amarrándose a las mismas raíces,
madurando en la misma caravana de frutas,
y saliendo de tu alma rota bajo mis dedos
como el licor del vino del centro de la uva.

AMIGA, NO TE MUERAS...

Amiga, no te mueras.
Óyeme estas palabras que me salen ardiendo,
y que nadie diría si yo no las dijera.

Amiga, no te mueras!

Yo soy el que te espera en la estrellada noche.
El que bajo el sangriento sol poniente te espera.

Miro caer los frutos en la tierra sombría.
Miro bailar las gotas del rocío en las hierbas.

En la noche al espeso perfume de las rosas,
cuando danza la ronda de las sombras inmensas.

Bajo el cielo del Sur, el que te espera cuando
el aire de la tarde como una boca, besa.

Amiga, no te mueras!

Yo soy el que cortó las guirnaldas rebeldes
para el lecho selvático fragante a sol y a selva.

El que trajo en los brazos jacintos amarillos.
Y rosas desgarradas. Y amapolas sangrientas.

El que cruzó los brazos por esperarte, ahora.
El que quebró sus arcos. El que dobló sus flechas.

Yo soy el que en los labios guarda sabor de uvas.
Racimos refregados. Mordeduras bermejas.

El que te llama desde las llanuras brotadas.
Yo soy el que en la hora del amor te desea.

El aire de la tarde cimbra las ramas altas.
Ebrio, mi corazón, bajo Dios, tambalea.

El río desatado rompe a llorar y a veces
se adelgaza su voz y se hace pura y trémula.

Retumba, atardecida, la queja azul del agua.
Amiga, no te mueras!

Yo soy el que te espera en la estrellada noche,
sobre las playas áureas, sobre las rubias eras.

El que cortó jacintos para tu lecho, y rosas.
Tendido entre las hierbas yo soy el que te espera!

DÉJAME SUELTAS LAS MANOS...

Déjame sueltas las manos
y el corazón, déjame libre!
Deja que mis dedos corran
por los caminos de tu cuerpo.
La pasión —sangre, fuego, besos—
me incendia a llamaradas trémulas.
Ay, tú no sabes lo que es esto!
Es la tempestad de mis sentidos
doblegando la selva sensible de mis nervios.
Es la carne que grita con sus ardientes lenguas!
Es el incendio!
Y estás aquí, mujer, como un madero intacto
ahora que vuela toda mi vida hecha cenizas
hacia tu cuerpo lleno, como la noche, de astros!

Déjame libres las manos
y el corazón déjame libre!
Yo sólo te deseo, yo sólo te deseo!
No es amor, es deseo que se agota y se extingue,
es precipitación de furias,
acercamiento de lo imposible,
pero estás tú,
estás para dármelo todo,
y a darme lo que tienes a la tierra viniste—,
como yo para contenerte,
y desearte,
y recibirte!

ALMA MÍA! ALMA MÍA!

Alma mía! Alma mía! Raíz de mi sed viajera,
gota de luz que espanta los asaltos del mundo.
Flor mía. Flor de mi alma. Terreno de mis besos.
Campanada de lágrimas. Remolino de arrullos.
Agua viva que escurre su queja entre mis dedos.
Azul y alada como los pájaros y el humo.
Te parió mi nostalgia, mi sed, mi ansia, mi espanto.
Y estallaste en mis brazos como en la flor el fruto.

Zona de sombra, línea delgada y pensativa.
Enredadera crucificada sobre un muro.
Canción, sueño, destino. Flor mía, flor de mi alma.
Aletazo de sueño, mariposa, crepúsculo.

En la alta noche mi alma se tuerce y se destroza.
La castigan los látigos del sueño y la socavan.
Para esta inmensidad ya no hay nada en la tierra.
Ya no hay nada.
Se resuelven las sombras y se derrumba todo.
Caen sobre mis ruinas las vigas de mi alma.

No lucen los luceros acerados y blancos.
Todo se rompe y cae. Todo se borra y pasa.
Es el dolor que aúlla como un loco en un bosque.
Soledad de la noche. Soledad de mi alma.
El grito, el alarido. Ya no hay nada en la tierra!
La furia que amedrenta los cantos y las lágrimas.

Sólo la sombra estéril partida por mis gritos.
Y la pared del cielo tendida contra mi alma!

Eres. Entonces eres y te buscaba entonces.
Eres labios de beso, fruta de sueños, todo.
Estás, eres y te amo! Te llamo y me respondes!
Luminaria de luna sobre los campos solos.
Flor mía, flor de mi alma, qué más para esta vida!
Tu voz, tu gesto pálido, tu ternura, tus ojos.
La delgada caricia que te hace arder entera.
Los dos brazos que emergen como juncos de asombro.
Todo tu cuerpo ardido de blancura en el vientre.
Las piernas perezosas. Las rodillas. Los hombros.
La cabellera de alas negras que van volando.
Las arañas oscuras del pubis en reposo.

LLÉNATE DE MÍ...

Llénate de mí.
Ansíame, agótame, viérteme, sacrifícame.
Pídeme. Recógeme, contiéneme, ocúltame.
Quiero ser de alguien, quiero ser tuyo, es tu hora.
Soy el que pasó saltando sobre las cosas,
el fugante, el doliente.

Pero siento tu hora,
la hora de que mi vida gotee sobre tu alma,
la hora de las ternuras que no derramé nunca,
la hora de los silencios que no tienen palabras,
tu hora, alba de sangre que me nutrió de angustias,
tu hora, medianoche que me fue solitaria.

Libértame de mí. Quiero salir de mi alma.
Yo soy esto que gime, esto que arde, esto que sufre.
Yo soy esto que ataca, esto que aúlla, esto que canta.
No, no quiero ser esto.
Ayúdame a romper estas puertas inmensas.
Con tus hombros de seda desentierra estas anclas.
Así crucificaron mi dolor una tarde.
Libértame de mí. Quiero salir de mi alma.

Quiero no tener límites y alzarme hacia aquel astro.
Mi corazón no debe callar hoy o mañana.
Debe participar de lo que toca,
debe ser de metales, de raíces, de alas.

No puedo ser la piedra que se alza y que no vuelve,
no puedo ser la sombra que se deshace y pasa.

No, no puede ser, no puede ser, no puede ser.
Entonces gritaría,. lloraría, gemiría.
No puede ser, no puede ser.
Quién iba a romper esta vibración de mis alas?
Quién iba a exterminarme? Qué designio, qué palabra?
No puede ser, no puede ser, no puede ser.
Libértame de mí. Quiero salir de mi alma.

Porque tú eres mi ruta. Te forjé en lucha viva.
De mi pelea oscura contra mí mismo, fuiste.
Tienes de mí ese sello de avidez no saciada.
Desde que yo los miro tus ojos son más tristes.
Vamos juntos. Rompamos este camino juntos.
Seré la ruta tuya. Pasa. Déjame irme.
Ansíame, agótame, viérteme, sacrifícame.
Haz tambalear los cercos de mis últimos límites.

Y que yo pueda, al fin, correr en fuga loca,
inundando las tierras como un río terrible,
desatando estos nudos, ah, Dios mío, estos nudos,
destrozando,
quemando,
arrasando
como una lava loca lo que existe,
correr fuera de mí mismo, perdidamente,
libre de mí, furiosamente libre.
Irme,
Dios mío,
irme!

CANCIÓN DEL MACHO...

CANCIÓN del macho y de la hembra!
La fruta de los siglos
exprimiendo su jugo
en nuestras venas.

Mi alma derramándose en tu carne extendida
para salir de ti más buena,
el corazón desparramándose,
estirándose como una pantera
y mi vida, hecha astillas, anudándose
a ti como la luz a las estrellas!

Me recibes
como al viento la vela.

Te recibo
como el surco a la siembra.

Duérmete sobre mis dolores
si mis dolores no te queman,
amárrate a mis alas,
acaso mis alas te llevan.
Endereza mis deseos,
acaso te lastima su pelea.

Tú eres lo único que tengo
desde que perdí mi tristeza.

Desgárrame como una espada
o táctame como una antena!

Bésame,
muérdeme,
incéndiame,
que yo vengo a la tierra
sólo por el naufragio de mis ojos de macho
en el agua infinita de tus ojos de hembra!

ESCLAVA MÍA, TÉMEME...

Esclava mía, témeme, ámame, esclava mía!
Soy contigo el ocaso más vasto de mi cielo,
y en él despunta mi alma como una estrella fría.
Cuando de ti se alejan vuelven a mí mis pasos.
Mi propio latigazo cae sobre mi vida.
Eres lo que está dentro de mí y está lejano.
Huyendo como un coro de nieblas perseguidas.
Junto a mí, pero dónde? Lejos, lo que está lejos.
Y lo que estando lejos bajo mis pies camina.
El eco de la voz más allá del silencio.
Y lo que en mi alma crece como el musgo en las ruinas.

SED DE TI QUE ME ACOSA...

Sed de ti que me acosa en las noches hambrientas.
Trémula mano roja que hasta tu vida se alza.
Ebria sed, loca sed, sed de selva en sequía.
Sed de metal ardiendo, sed de raíces ávidas.
Hacia dónde, en las tardes que no vayan tus ojos
en viaje hacia mis ojos, esperándote entonces?

Estás llena de todas las sombras que me acechan.
Me sigues como siguen los astros a la noche.
Mi madre me dio lleno de preguntas agudas.
Tú las contestas todas. Eres llena de voces.
Ancla blanca que cae sobre el mar que cruzamos.
Surco para la turbia semilla de mi nombre.
Que haya una tierra mía que no cubra tu huella.
Sin tus ojos viajeros, en la noche, hacia dónde.

Por eso eres la sed y lo que ha de saciarla.
Cómo poder no amarte si he de amarte por eso.
Si ésa es la amarra cómo poder cortarla, cómo.
Cómo si hasta mis huesos tienen sed de tus huesos.
Sed de ti, sed de ti, guirnalda atroz y dulce.
Sed de ti que en las noches me muerde como un perro.
Los ojos tienen sed, para qué están tus ojos.
La boca tiene sed, para qué están tus besos.
El alma está incendiada de estas brasas que te aman.
El cuerpo incendio vivo que ha de quemar tu cuerpo.
De sed. Sed infinita. Sed que busca tu sed.
Y en ella se aniquila como el agua en el fuego.

ES CIERTO, AMADA MÍA...

Es CIERTO, amada mía, hermana mía, es cierto!
Como las bestias grises en los potreros pastan,
y en los potreros se aman, como las bestias grises!

Como las castas ebrias que poblaron la tierra
matándose y amándose, como las castas ebrias!

Como el latido de las corolas abiertas
dividiendo la joya futura de la siembra,
como el latido de las corolas abiertas!

Empujado por los designios de la tierra
como una ola en el mar hacia ti va mi cuerpo.

Y tú, en tu carne, encierras
las pupilas sedientas con que miraré cuando
estos ojos que tengo se me llenen de tierra.

TENTATIVA DEL HOMBRE INFINITO

hogueras pálidas revolviéndose al borde de las noches
corren humos difuntos polvaredas invisibles

fraguas negras durmiendo detrás de los cerros
    anochecidos
la tristeza del hombre tirada entre los brazos del sueño

ciudad desde los cerros en la noche los segadores
    duermen
debatida a las últimas hogueras
pero estás allá pegada a tu horizonte
como una lancha al muelle lista para zarpar lo creo
antes del alba

árbol de estertor candelabro de llamas viejas
distante incendio mi corazón está triste

sólo una estrella inmóvil su fósforo azul
los movimientos de la noche aturden hacia el cielo

ciudad desde los cerros entre la noche de hojas
mancha amarilla su rostro abre la sombra
mientras tendido sobre el pasto deletreo
ahí pasan ardiendo sólo yo vivo

tendido sobre el pasto mi corazón está triste
la luna azul araña trepa inunda

emisario ibas alegre en la tarde que caía
el crepúsculo rodaba apagando flores

tendido sobre el pasto hecho de tréboles negros
y tambalea sólo su pasión delirante

recoge una mariposa húmeda como un collar
anúdame tu cinturón de estrellas esforzadas

oh matorrales crespos adonde el sueño avanza trenes
oh montón de tierra entusiasta donde de pie sollozo
vértebras de la noche agua tan lejos viento intranquilo
    rompes
también estrellas crucificadas detrás de la montaña
alza su empuje un ala pasa un vuelo oh noche sin
    llaves
oh noche más en mi hora en mi hora furiosa y doliente
eso me levantaba como la ola al alga
acoge mi corazón desventurado
cuando rodeas los animales del sueño
crúzalo con tus vastas correas de silencio
está a tus pies esperando una partida
porque lo pones cara a cara a ti misma noche de hélices
    negras
y que toda fuerza en él sea fecunda
atada al cielo con estrellas de lluvia
procrea tú amárrate a esa proa minerales azules
embarcado en ese viaje nocturno
un hombre de veinte años sujeta una rienda frenética
es que él quería ir a la siga de la noche
entre sus manos ávidas el viento sobresalta

estrella retardada entre la noche gruesa los días de
    altas velas·
como entre tú y tu sombra se acuestan las vacilaciones
embarcadero de las dudas bailarín en el hilo sujetabas
    crepúsculos
tenía en secreto un muerto como un ·camino solitario
divisándose entonces resaltan las audaces te trepas a
    las luces emigrando
quién recoge el cordel vacíos malecones y la niebla
tu espigón de metales dolientes de bruces al borde de
    las aguas el tiempo persiguiéndote
la noche de esmeraldas y molinos se da vueltas la noche
    de esmeraldas y molinos

qué deseas ahora estás solo centinela
corrías a la orilla del país buscándolo
como el sonámbulo al borde de su sueño
aproxímate cuando las campanas te despierten
ataja las temperaturas con esperanzas y dolores

tuerzo esta hostil maleza mecedora de los pájaros
emisario distraído oh soledad quiero cantar

soledad de tinieblas difíciles mi alma hambrienta
    tropieza
tren de luz allá arriba te asalta un ser sin recuerdos

araño esta corteza destrozo los ramales de la hierba
y la noche como un vino invade el túnel

salvaje viento socavador del cielo ululemos
mi alma en desesperanza y en alegría quién golpea

frente a lo inaccesible por ti pasa una presencia sin
    límites
señalarás los caminos como las cruces de los muertos

proa mástil hoja en el temporal te empuja el abandono
    sin regreso
te pareces al árbol derrotado y al agua que lo estrella

donde lo sigue su riel frío
y se para sin muchas treguas el animal de la noche

no sé hacer el canto de los días
sin querer suelto el canto la alabanza de las noches
pasó el viento latigándome la espalda alegre saliendo de
    su huevo
descienden las estrellas a beber al océano
tuercen sus velas verdes grandes buques de brasa
para qué decir eso tan pequeño que escondes cánto
    pequeño
los planetas dan vueltas como husos entusiastas giran
el corazón del mundo se repliega y se estira
con voluntad de columna y fría furia de plumas
oh los silencios campesinos claveteados de estrellas
recuerdo los ojos caían en ese pozo inverso
hacia dónde ascendía la soledad de todos los ruidos
    espantados
el descuido de las bestias durmiendo sus duros lirios
preñé entonces la altura de mariposas negras mariposa
    medusa
aparecían estrépitos humedad nieblas
y vuelto a la pared escribí
oh noche huracán muerto resbala tu oscura lava
mis alegrías muerden tus tintas
mi alegre canto de hombre chupa tus duras mamas
mi corazón de hombre se trepa por tus alambres
exasperado contengo mi corazón que danza
danza en los vientos que limpian tu color
bailador asombrado en las grandes mareas que hacen
    surgir el alba

torciendo hacia ese lado o más allá continúas siendo
    mía
en la soledad del atardecer golpea tus sonrisas
en ese instante trepan enredaderas a mi ventana
el viento de lo alto cimbra la sed de tu presencia
un gesto de alegría una palabra de pena que estuviera
    más cerca de ti
en su reloj profundo la noche aísla horas
sin embargo teniéndote entre los brazos vacilé
algo que no te pertenece desciende de tu cabeza
y se te llena de oro la mano levantada

hay esto entre dos paredes a lo lejos
radiantes ruedas de piedra sostienen el día mientras
    tanto
después colgado en la horca del crepúsculo
pisa en los campanarios y en las mujeres de los pueblos
moviéndose en la orilla de mis redes
mujer querida en mi pecho tu cabeza cerrada
a grandes llamaradas el molino se revuelve
y caen las horas nocturnas. como murciélagos del cielo

en otra parte lejos lejos existen tú y yo parecidos a
    nosotros
tú escribes margaritas en la tierra solitaria

es que ese país de cierto nos pertenece
el amanecer vuela de nuestra casa

cuando aproximo el cielo con las manos para despertar
    completamente
sus húmedos terrones su red confusa se suelta
tus besos se pegan como caracoles a mi espalda
gira el año de los calendarios y salen del mundo los
    días como hojas
cada vez cada vez al norte están las ciudades inconclusas
ahora el sur mojado encrucijada triste
en donde los peces movibles como tijeras
ah sólo tú apareces en mi espacio en mi anillo
al lado de mi fotografía como la palabra está enfermo
detrás de ti pongo una familia desventajosa
radiante mía salto perteneciente hora de mi distracción
están encorvados tus parientes y tú con tranquilidad
te miras en una lágrima te secas los ojos donde estuve
está lloviendo de repente mi puerta se va a abrir

al lado de mí mismo señorita enamorada
quién sino tú como el alambre ebrio es una canción
    sin título
ah triste mía la sonrisa se extiende como una mariposa
    en tu rostro
y por ti mi hermana no viste de negro

yo soy el que deshoja nombres y altas constelaciones de
    rocío
en la noche de paredes azules altas sobre tu frente
para alabarte a ti palabra de alas puras
el que rompió su suerte siempre donde no estuvo
por ejemplo es la noche rodando entre cruces de plata
que fue tu primer beso para qué recordarlo
yo te puse extendida delante del silencio
tierra mía los pájaros de mi sed te protegen
y te beso la boca mojada con crepúsculo

es más allá más alto
para significarte criaría una espiga
corazón distraído torcido hacia una llaga
atajas el color de la noche y libertas a los prisioneros

ah para qué alargaron la tierra
del lado en que te miro y no estás niña mía
entre sombra y sombra destino de naufragio
nada tengo oh soledad

sin embargo eres la luz distante que ilumina las frutas
y moriremos juntos
pensar que estás ahí navío blanco listo para partir
y que tenemos juntas las manos en la proa navío
    siempre en viaje

ésta es mi casa
aún la perfuman los bosques
desde donde la acarreaban
allí tricé mi corazón como el espejo para andar a través
    de mí mismo
ésa es la alta ventana y ahí quedan las puertas
de quién fue el hacha que rompió los troncos
tal vez el viento colgó de las vigas
su peso profundo olvidándolo entonces
era cuando la noche bailaba entre sus redes
cuando el niño despertó sollozando
yo no cuento yo digo en palabras desgraciadas
aún los andamios dividen el crepúsculo
y detrás de los vidrios la luz del petróleo
era para mirar hacia el cielo
caía la lluvia en pétalos de vidrio
ahí seguiste el camino que iba a la tempestad
como las altas insistencias del mar
aíslan las piedras duras de las orillas del aire
qué quisiste qué ponías como muriendo muchas veces
todas las cosas suben a un gran silencio
y él se desesperaba inclinado en su borde
sostenías una flor dolorosa
entre sus pétalos giraban los días margaritas de pilotos
    decaídos
decaído desocupado revolviste de la sombra
el metal de las últimas distancias o esperabas el turno
amaneció sin embargo en los relojes de la tierra
de pronto los días trepan a los años
he aquí tu corazón andando estás cansado sosteniéndote
a tu lado se despiden los pájaros de la estación ausente

64

admitiendo el cielo profundamente mirando el cielo
    estoy pensando
con inseguridad sentado en ese borde
oh cielo tejido con aguas y papeles
comencé a hablarme en voz baja decidido a no salir
arrastrado por la respiración de mis raíces
inmóvil navío ávido de esas leguas azules
temblabas y los peces comenzaron a seguirte
tirabas a cantar con grandeza ese instante de sed querías
    cantar
querías cantar sentado en tu habitación ese día
pero el aire estaba frío en tu corazón como en una
    campana
un cordel delirante iba a romper tu frío
se me durmió una pierna en esa posición y hablé con
    ella
cantándole mi alma me pertenece
el cielo era una gota que sonaba cayendo en la gran
    soledad
pongo el oído y el tiempo como un eucaliptus
frenéticamente canta de lado a lado
en el que estuviera silbando un ladrón
ay y en el límite me paré caballo de las barrancas
sobresaltado ansioso inmóvil sin orinar
en ese instante lo juro oh atardecer que llegas pescador
    satisfecho
tu canasto vivo en la debilidad del cielo

a quién compré en esta noche la soledad que poseo
quién dice la orden que apresure la marcha
del viento flor de frío entre las hojas inconclusas
si tú me llamas tormenta resuenas tan lejos como un
    tren
ola triste caída a mis pies quién te dice
sonámbulo de sangre partía cada vez en busca del alba

a ti te reconozco pero lejos apartada
inclinado en tus ojos busco el ancla perdida
ahí la tienes florida adentro de los brazos de nácar
es para terminar para no seguir nunca
y por eso te alabo seguidora de mi alma mirándote
    hacia atrás
te busco cada vez entre los signos del regreso
estás llena de pájaros durmiendo como el silencio de
    los bosques
pesado y triste lirio miras hacia otra parte
cuando te hablo me dueles tan distante mujer mía
apresura el paso apresura el paso y enciende las
    luciérnagas

veo una abeja rondando no existe esta abeja ahora
pequeña mosca con patas lacres mientras golpea cada
    vez tu vuelo
inclino la cabeza desvalidamente
sigo un cordón que marca siquiera una presencia una
    situación cualquiera
oigo adornarse el silencio con olas sucesivas
revuelven vuelven ecos aturdidos entonces canto en
    alta voz
párate sombra de estrellas en las cejas de un hombre a
    la vuelta de un camino
que lleva a la espalda una mujer pálida de oro
    parecida a sí misma
todo está perdido las semanas están cerradas
veo dirigirse el viento con un propósito seguro
como una flor que debe perfumar
abro el otoño taciturno visito la situación de los
    naufragios
en el fondo del cielo entonces aparecen los pájaros
    como letras
y el alba se divisa apenas como la cáscara de un fruto
o es que entonces sumerges tus pies en otra distancia
el día es de fuego y se apuntala en sus colores
el mar lleno de trapos verdes sus salivas murmullan
    soy el mar
el movimiento atraído la inquieta caja
tengo fresca el alma con todas mis respiraciones
ahí sofoco al lado de las noches antárticas

me pongo la luna como una flor de jacinto la moja
    mi lágrima lúgubre
ahíto estoy y anda mi vida con todos los pies parecidos
crío el sobresalto me lleno de terror transparente
estoy solo en una pieza sin ventanas
sin tener que hacer con los itinerarios extraviados

veo llenarse de caracoles las paredes como orillas de
    buque
pego la cara a ellas absorto profundamente
siguiendo un reloj no amando la noche quiero que
    pase
con su tejido de culebra con luces
guirnalda de fríos mi cinturón da vuelta muchas veces
soy la yegua que sola galopa perdidamente a la siga
    del alba muy triste
agujero sin cesar cuando acompaño con mi sordera
    estremeciéndose
saltan como elásticos o peces los habitantes acostados
mis alas absorben como el pabellón de un parque con
    olvido
amanecen los puertos como herraduras abandonadas
ay me sorprendo canto en la carpa delirante
como un equilibrista enamorado o el primer pescador
pobre hombre que aíslas temblando como una gota
un cuadrado de tiempo completamente inmóvil

el mes de junio se extendió de repente en el tiempo
    con seriedad y exactitud
como un caballo y en el relámpago crucé la orilla
ay el crujir del aire pacífico era muy grande
los cinematógrafos desocupados el color de los
    cementerios
los buques destruidos las tristezas
encima de los follajes
encima de las astas de las vacas la noche tirante su
    trapo bailando
el movimiento rápido del día igual al de las manos que
    detienen un vehículo
yo asustado comía
oh lluvia que creces como las plantas oh victrolas
    ensimismadas
personas de corazón voluntarioso todo lo celebré
en un tren de satisfacciones desde donde mi retrato
tiene detrás el mundo que describo con pasión
los árboles interesantes como periódicos los caseríos
    los rieles
ay el lugar decaído en que el arco iris
deja su pollera enredada al huir
todo como los poetas los filósofos las parejas que se
    aman
yo lo comienzo a celebrar entusiasta sencillo
yo tengo la alegría de los panaderos contentos y
    entonces
amanecía débilmente como un color de violín

con un sonido de campana con el olor de la larga
    distancia
devuélveme la grande rosa la sed traída al mundo
adonde voy supongo iguales las cosas
la noche importante y triste y ahí mi querella
barcarolero de las largas aguas cuando
de pronto una gaviota crece en tus sienes mi corazón
    está cansado
márcame tu pata gris llena de lejos
tu viaje de la orilla del mar amargo o espérame
el vaho se despierta como una violeta es que
a tu árbol noche querida sube un niño
a robarse las frutas
y los lagartos brotan de tu pesada vestidura
entonces el día salta encima de su abeja
estoy de pie en la luz como el mediodía en la tierra
quiero contarlo todo con ternura
centinela de las malas estaciones ahí estás tú
pescador intranquilo déjame adornarte por ejemplo
un cinturón de frutas dulce la melancolía
espérame donde voy ah el atardecer
la comida las barcarolas del océano oh espérame
adelantándote como un grito atrasándote como una
    huella oh espérate
sentado en esa última sombra o todavía después
todavía

ANILLOS

EL OTOÑO DE LAS ENREDADERAS

Amarillo, fugitivo, el tiempo que degüella las hojas avanza hacia el otro lado de la tierra, pesado, crujidor de hojarascas caídas. Pero antes de irse, trepa por las paredes, se prende a los crespos zarcillos, e ilumina las taciturnas enredaderas. Ellas esperan su llegada todo el año, porque él las viste de crespones y de broncerías. Es cuando el otoño se aleja cuando las enredaderas arden, llenas de alegría, invadidas de una última y desesperada resurrección. Tiempo lleno de desesperanza, todo corre hacia la muerte. Entonces tú forjas en las húmedas murallas el correaje sombrío de las trepadoras. Inmóviles arañas azules, cicatrices moradas y amarillas, ensangrecidas medallas, juguetería de los vientos del norte. Donde ha de ir sacando el viento cada bordado, donde ha de ir completando tu tarea el agua de las nubes.

Ya han emigrado los pájaros, han fijado su traición cantando, y las banderas olvidadas bordean los muros carcomidos. El terrible estuario comienza a patinar los adobes, y poco a poco la soledad se hace profunda. Agua infinita que acarrea el invierno, que nada estorbe tu paso silencioso. Pequeñas hojas que como pájaros a la orilla del grano, os agrupasteis para mejor morir; es hora de descender de vuestros nidos y rodar y hacerse polvo y bailar en el frío de los caminos. Durecidos tallos, amarras pertinaces, este barco se suelta. He ahí despedazadas las velas y destruido el mascarón ensimismado, que cruza encima de las estaciones siempre en fuga. Quedaos vosotros apretando un cuerpo que no existe entre vuestras serpientes glaciales. Nunca vuelve este barco; el que se aleja regresa cambiado por el tiempo y la lucha. Nunca el tiempo del sol aporta las mismas hojas a los muros. Primero asoman en las axilas, escondidas como abejas de esmeralda, y estallan hablándose un lenguaje de recién nacidos. Es que nunca, nunca vuelve el barco roto que huye hacia el sur llevando el mascarón tapado por las enredaderas taciturnas. Lo empuja el viento, lo apresura la lluvia, por los senderos del mar, lo empuja el viento, lo apresura la lluvia, y la estela de ese navío está sembrada de pájaros amarillos.

IMPERIAL DEL SUR

Las resonancias del mar atajan contra la hoja del cielo; fulgurece de pronto la espalda verde; revienta en violentos abanicos; se retira, recomienza; campanas de olas azules despliegan y acosan la costa solitaria; la gimnasia del mar desespera el sentido de los pájaros en viaje y amedrenta el corazón de las mujeres. Oh mar océano, vacilación de aguas sombrías, ida y regreso de los movimientos incalculables, el viajero se para en tu orilla de piedra destruyéndose, y levanta su sangre hasta tu sensación infinita!

Él está tendido al lado de tu espectáculo, y tus sales y tus transparencias alzan encima de su frente; tus coros cruzan la anchura de sus ojos, tu soledad le golpea el corazón y adentro de él tus llamamientos se sacuden como los peces desesperados en la red que levantan los pescadores.

El día brillante como un arma ondula sobre el movimiento del mar, en la península de arena saltan y resaltan los juegos del agua, grandes cordeles se arrastran amontonándose, refulgen de pronto sus húmedas etincelias y chapotea la última ola, alcanzándose a sí misma.

Voluntad misteriosa, insistente multitud del mar, jauría condenada al planeta, algo hay en ti más oscuro que la noche, más profundo que el tiempo. Acosas los amarillos días, las tardes de aire, estrellas contra los largos inviernos de la costa, fatigas entre acantilados y bahías, golpeas tu locura de aguas contra la orilla infranqueable, oh mar océano de los inmensos vientos verdes y la ruidosa vastedad.

El puerto está apilado en la bahía, salpicado de techumbres rojas, interceptado por sitios sin casas, y mi amiga y yo desde lejos lo miramos adornado con su cintura de nubes blancas y pegado al agua marina que empuja la marea. Trechos de pinos y en el fondo los contrafuertes de montañas; refulge la amorosa pureza del aire; por encima del río cruzan gaviotas de espumas, mi amiga me las muestra cada vez y veo el recinto del agua azul y los viejos muelles extendiéndose detrás de su mano abierta.

Ella y yo estamos en la cubierta de los pequeños barcos, se estrella el viento frío contra nosotros, una voz de mujer se pega a la tristeza de los acordeones; el río es ancho de colores de plata, y las márgenes se doblan de malezas floridas, donde comunican los lomajes del Sur. Atrae el cauce profundo, callado; la tarde asombra de resonancias, de orilla a orilla por la línea del agua que camina, atraviesa el pensamiento del viajero. Los barbechos brillan secamente al último sol; atracada a favor del cantil sombrío una lancha velera sonríe con sus dos llamas blancas; de pronto surgen casas aisladas en las orillas, atardece grandemente, y cruzan sobre la proa los gritos de los tricaos de agorería.

Muelles de Carahue, donde amarran las gruesas espigas y desembarcan los viajeros; cuánto y cuánto conozco tus tablones deshechos, recuerdo días de infancia a la sombra del maderamen mojado, donde lame y revuelve el agua verde y negra.

Cuando ella y yo nos escondemos en el tren de regreso aún llaman los viejos días algo, sin embargo del corazón duro que cree haberlos dejado atrás.

PRIMAVERA DE AGOSTO

Joyería de las mañanas del mundo, el rocío amanece esta vez sobre corolas iluminadas. Ah primavera! Apuntalándose en los prismas del sol, cómo te veo surgir de entre las cosas! Te hablaré con mi lenguaje que esconde signos, de mi alegría profunda, después de la ensimismada tristeza. Torcedora de jacintos, animadora de mariposas azules, Primavera de agosto, el caminante te celebra. Encumbraste en los cerros de mi país, desnudaste sobre la palidez de los caminos, la pasional floresta de los aromos. Aromos, oh, alegría de mi corazón! Pabellones de seda amarilla, kioscos pesados construidos con perfume, en la tierra del Sur, en donde canto, emergen a cada recodo, como un olvido de candelabros. Oh, aromos de 500 mil volts, apretados de flores, sencillos, intensos, orquestales!

Ah, primavera, quién sino tú, coronó los soñolientos duraznos con alas rosadas? Tú fuiste sin duda, la que apiló en su delantal las dulces y esquivas cabelleras del cerezo! También he oído en los caminos, sobre los hilos del telégrafo cantar los pájaros! O también los tejados del invierno, canales de lluvia, que empezaron a amarillar sus musgos descontentos.

Es que detrás de las cosas estás tú, primavera, comenzando a escribir en la humedad, con dedos de niña juguetona, el delirante alfabeto del tiempo que regresa.

El día mejor comienza antes del alba, termina después de la noche. El día mejor florece sus primeras flechas entre las esponjas nocturnas, y ahí tenéis al día mejor, como a un buen compañero, plantado en medio del camino.

Es que a ese tiempo feliz lo anuncian signos que nadie recoge. Quién lee el alfabeto de las estrellas corredizas? Nunca te detuviste a descifrar los pequeños signos atraídos en las calles. No averiguaste tampoco la cardinal de los últimos vientos.

Qué importa, oh profundo, alegre día. Te izaste en el límite del asta de la aurora, y así apareciste, sonriente guerrero. Haces temblar el rocío de los trigales recién despiertos. Tu luz pinta las frutas y extiende las alas de las abejas perdidas. Nada hay como esa flor amarilla del barranco porque la vigilan tus dedos tan claros.

Tirante, abierto cielo; la muchacha baja con lentos trancos entre el olor de las hojas. No se destiñe el aire respirado, conserva en lo alto su color de violeta verdadera. En el pueblo, ah provincia transparente, inauguran la campana de bronce que nunca alcanzaba a comprarse, y el patrón de la barca, en la costa de las pobrezas, ve flotar entre las húmedas esmeraldas del mar la vela que esperaba su navío. Pequeña, mi pequeña, es el día del paseo, en que no debes estar triste, y en tu pecho, detrás del traje estirado, sobrepujan dos profundos brotes blancos. Buen amigo, compañero lejano, grumete queridísimo, hoy recibes la carta que te trae alegría, las noticias: Gerardo se mejora, el borracho Tomás tiene una habitación. Federico, Juanita, todos están contentos. En ese día los trabajadores no desencantan del feriado, y un poco se conmueven oyendo gritar a los chiquillos. La casa pobre tiene una flor en ese día tranquilo y en la casa ruinosa, allí donde cuelgan las arañas, entran en la mañana o en el atardecer, dos enamorados que ocultaban una esperanza sin albergue.

PROVINCIA DE LA INFANCIA

Provincia de la infancia, desde el balcón romántico e extiendo como un abanico. Lo mismo que antes abandonado por las calles, examino las calles abandonadas. Pequeña ciudad que forjé a fuerza de sueño, resurges de tu inmóvil existencia. Grandes trancos pausados a la orilla del musgo, pisando tierras y yerbas, pasión de la infancia revives cada vez. Corazón mío ovillado bajo este cielo recién pintado, tú fuiste el único capaz de lanzar las piedras que hacen huir la noche. Así te hiciste, trabajado de soledad, herido de congoja, andando, andando por pueblos desolados. Para qué hablar de viejas cosas, para qué vestir ropajes de olvido. Sin embargo, grande y oscura es tu sombra, provincia de mi infancia. Grande y oscura, tu sombra de aldea, besada por la fría travesía desteñida, por el viento del norte. También tus días de sol, incalculables, delicados; cuando de entre la humedad emerge el tiempo vacilando como una espiga. Ah, pavoroso invierno de las crecidas, cuando la madre y yo temblábamos en el viento frenético. Lluvia caída de todas partes, oh triste prodigadora inagotable. Aullaban, lloraban los trenes perdidos en el bosque. Crujía la casa de tablas acorralada por la noche. El viento a caballazos, saltaba las ventanas, tumbaba los cercos; desesperado, violento, desertaba hacia el mar. Pero qué noches puras, hojas del buen tiempo, sombrío cielo engastado en estrellas excelentes. Yo fui el enamorado, el que de la mano llevó a la señorita de grandes ojos a través de lentas veredas, en crepúsculos, en mañanas sin olvido. Cómo no recordar tanta palabra pasada. Besos desvanecidos, flores flotantes, a pesar de que todo termina. El niño que encaró la tempestad y crió debajo de sus alas amargas la boca, ahora te sustenta, país húmedo y callado, como a un gran árbol después de la tormenta. Provincia de la infancia deslizada de horas secretas, que nadie conoció. Región de soledad, acostado sobre unos andamios mojados por la lluvia reciente, te propongo a mi destino como refugio de regreso.

SOLEDAD DE LOS PUEBLOS

En la noche oceánica ladran los perros desorientados, abren sus coros los coigüillas desde el agua, y ese ruido de aguas, y esa aspiración de los seres se estira y se intercepta entre los grandes rumores del viento. La noche pasa así, batida de orilla a orilla por el rechazo de los vientos, como un aro de metales oscuros lanzado desde el norte hacia los campanarios del sur.

El amanecer solitario, empujado y retenido como una barca amarrada, oscila hasta mediodía y aparece en la soledad del pueblo la tarde de techumbres azules, blanca vela mayor del navío desaparecido.

Frente a mis ventanas detrás de los frutales verdes, más lejos de las casas y del río, tres cerros se apoyan en el cielo tranquilo. Pardos, amarillos, paralelogramos de labranzas y siembras, caminos carreteros, matorrales, árboles aislados. La loma grande, de cereales dorados, quiebra lentas olas uniformes contra la cima.

Aparece la lluvia en el paisaje, cae cruzándose de todas partes del cielo. Veo agacharse los grandes girasoles dorados y oscurecerse el horizonte de los cerros por su palpitante veladura. Llueve sobre el pueblo, el agua baila desde los suburbios de Coilaco hasta la pared de los cerros; el temporal corre por los techos, entra en las quintas, en las canchas de juego; al lado del río, entre matorrales y piedras, el mal tiempo llena los campos de apariciones de tristeza.

Lluvia, amiga de los soñadores y los desesperados, compañera de los inactivos y los sedentarios, agita, triza tus mariposas de vidrio sobre los metales de la tierra, corre por las antenas y las torres, estréllate contra las viviendas y los techos, destruye el deseo de acción y ayuda la soledad de los que tienen las manos en la frente detrás de las ventanas que solicita tu presencia. Conozco tu rostro innumerable, distingo tu voz y soy tu centinela, el que despierta a tu llamado en la aterradora tormenta terrestre y deja el sueño para recoger tus collares, mientras caes sobre los caminos y los caseríos, y resuenas como persecuciones de campanas, y mojas los frutos de la noche, y sumerges profundamente tus rápidos viajes sin sentido. Así bailas sosteniéndote entre el cielo lívido y la tierra como un gran huso de plata dando vueltas entre sus hilos transparentes.

Entre las hojas mojadas, pesadas gotas como frutas suspenden de las ramas; olor de tierra, de madreselvas humedecidas; abro el portón pisando las ciruelas volteadas, camino debajo de los ganchos verdes y mojados. Aparece de pronto el cielo entre ellos como el fondo de mi taza azul, recién limpiado de lluvias. sostenido por las ramas y peligrosamente frágil. El perro acompañante camina, lleno de gotas como un vegetal. Al pasar entre los maíces agacha pequeñas lluvias y dobla los grandes girasoles que me ponen de pronto sus grandes escarapelas sobre el pecho.

Día sobresaltado apareces después, cerciorado de la huida del agua, y corres sigilosamente bajo el temporal ,al encuentro de los cerros, abarcas dos anillos de oro que se pierden en los charcos del pueblo.

Hay una avenida de eucaliptus, hay charcas debajo de ellos, llenos de su fuerte fragancia de invierno. El gran dolor, la pesadumbre de las cosas gravita conforme voy andando. La soledad es grande en torno a mí, las luces comienzan a trepar a las ventanas y los trenes lloran lejos, antes de entrar en los campos. Existe una palabra que explica la pesadumbre de esta hora, buscándola camino bajo los eucaliptus taciturnos, y pequeñas estrellas comienzan a asomarse a los charcos oscureciéndose.

He aquí la noche que baja de los cerros de Temuco.

ATARDECER

Atardecer lleno de enamorados, puerto de embarque de los acéanos nocturnos, a ti te anuncian las campanas de los pueblos y las flores vespertinas te abren paso. Atardecer lleno de nostalgia, jarcias insostenibles, y las grandes presencias de tus arboladuras misteriosas tremolan sobre la cabeza del viajero, y la frente de una bigornia amarilla suda hacia el cenit largas listas de despedida. Eres el gran circo de la tolda infinita, y en el metal del sol mujeres azules golpean hasta aparecer los trapecios ardiendo. Todavía no comenzado el espectáculo, las oficinas del mundo iluminan sus vidrios, y ebulle entre tus delgadas aguas la incertidumbre de tu cúpula oscureciéndose.

Entonces tú ordenas a las cuadrillas de pájaros sin albergue atraviesen lamentándose las confusas multitudes, y de pronto invaden huyendo por la soledad de los campos tus blandos murciélagos agigantándose de pronto. Sueltas de los hornos rurales las tintas mariposas de la noche, y el preso aún divisa su parte de espectáculo cruzado por seis inexorables rayaduras.

Sus pálidas cortinas se levantan y pegas la figura sin límites debajo de tu profunda carpa. Aíslas primero los grandes anillos de oro y los repartes a lentos estirones. Las barcas de plata pasan sin vacilar entre los fulgurantes obstáculos y los remos suben y descienden arrojando trapos desvaneciéndose. En la pista dura borbota el caballo de alas negras, y encima de un salto, se atralaca la amazona fugitiva.

Coros de sordas olas sobrepujan en las extremidades de tu orilla, y amargo y ávido es tu canto. Ávido de la luna su ejercicio se levanta y se derrumba, y quiebra latentes estatuas de sal, y suenan sus lentos vientres de vidrio, y prolongan en el mundo sólo sus constantes barridas, y sus cataratas distantes se tumban en ríos lejanos. Entre timbal y timbal, al caer, el viento pasa rompiéndose y atrae y aleja el rumor de la costa asaltada. De grandes calderas de navío es el murmullo, y de aguas repitiéndose, de olas estrellándose, de océanos en crece, de embarcaciones en naufragio es el ir y venir, y el huir y el volver de tus ruidosos ecos. Entre tanto en la pista los trapecios descuelgan enanos corredizos, y las vestiduras verdes de las amazonas, toman otros colores y se pierden. Saltarines verticales se tiran de lado a lado, despaciosos payasos amarillos se cambian los metales desde lejos pelotas de púrpura, ovillos de alambres atraídos, banderas y señales de descanso, se apilan y destacan a la luz de los cohetes intranquilos.

Tu carpa, atardecer, oculta fieras furiosas, y las miradas divisan detrás de la pista los derechos barrotes de la jaula, y se anuda al ruido de los coros de olas el reciente rugido de los leones guardianes.

Atardecer lleno de enamorados, hora de nostalgia, tu luz temerosa cae sobre los parques, y les besa las bocas prendidas y los caminantes retrasados levantan las viseras hacia tu espectáculo tan vasto.

De repente borras tus figuras y salpica el oleaje de los grandes mares.

La fiesta se adelgaza. Disminuida, no es más que un surtidor, y no es más que una hoja, y no es más que una ranura de aceite entre las aguas inundadas.

Detrás del día extinguido, atardecer, triste y negro palanquero de luto, agitas, estiras las largas manos, las rodillas vencidas y te extiendes de golpe sobre el convoy de la noche violenta.

DESAPARICIÓN O MUERTE DE UN GATO

También la vida tiene misterios sencillos e inaccesibles, existen los rumores del granero inacabablemente, el perpetuo acabarse de las nueces verdes y amargas, la caída de las peras olorosas madurando, se reviene la sal transparente, desaparece o muere el gato de María Soledad. Hasta su cola era usada como un instrumento, el color era de retículos negros y blancos, era una forma familiar y animada andando en cuatro pies de algodón, oliendo la noche fría y adversa, roncando su actitud misteriosa en las direcciones de la alfombra.

.Se ha escurrido el gato con sigilosidad de aire, nadie lo encuentra en la lista del sol que se comía atardeciendo, no aparece su cola de madera flexible, tampoco relucen sus verdes miradas pegadas a la sombra como clavándolas a los rincones de la casa.

Ahí está María Soledad, con los cuadros del delantal jugando con los ojos a los dados, pensando en los rincones preferidos del gato y en su fuga o en su muerte de la que ella no es culpable, María Soledad a quien también le cuesta vigilar sus ojos anchos. Para los días que dure la ausencia deja de ponerse alegre como si el color del gato hubiera estado anillado con su risa de agua. En la noche estaríalos estremeciendo el fulgor de la luna, él a los pies de ella, pasarían las rondas de la noche, tocarían las grandes horas solitarias; entonces María Soledad está más lejos, con esa lejanía de ojos cerrados, pasan campos y países, debajan puentes, cielos, no se llega nunca, nunca a fondear tu sueño a ninguna distancia, con ningún movimiento, María Soledad, sólo tu gato fulgurece los ojos y te sigue ahuyentando mariposas extrañas. Ahí está de repente, a la orilla de un viejo mueble, aparece con su pobreza verdadera, con su realidad de animal muerto, entonces estás llorando de nuevo, María Soledad, tus lágrimas caen, lagunan al borde del compañero, la sola muerte señala el llanto caído, más allá el balcón de los sueños sin regreso .

T. L.

A caballo en Solveigs Lied, corazón tatuado a correazos con perfumes y ausencias, ahí está con la mano, apretando abalorios, tristemente, extendiendo lazos de infinitos, corre a cazar los pájaros que el alba despierta, o despegando sangrientos caracoles de la pared de la noche los atrae al oído y aturden sus altos ecos y tiene el corazón cruzado con un velamen de partida y un ancla de fondeo, el que es mi camarada, grandote, con su sonrisa ancha de compañero querido, lo veo afirmado en un mástil, escribiendo en el suelo sus números de nostalgia, largamente triste, mi amigo con la botella negra y el cuchillo y la soledad que él necesita para sus redes profundas. Amanece de pronto, él está a mi lado, a mi lado está, va cantando a mi lado los resonantes estribillos o las copas vacías le cortan el semblante, o por lo menos lo veo en su retrato de gala, desnudo el hermoso cuerpo y la visera para arriba, dorado de fuerzas alegres, sin embargo con la tristeza de una cruz negra a la orilla del pecho. También tiene el alma hecha con cuadrados inmóviles, rompen entonces, teclas repitiéndose, como una carretera de un continente distante, tiene en él las estaciones inconclusas o tiramos al fondo del día conversaciones sin objeto, como las monedas de un país desaparecido. Ahí es donde empieza su corazón a entretenerse, araña de metales nocturnos, jazz band de sonámbulos y una novia enterrada, que es la noche profunda que él la decora con luciérnagas negras, le pongo en la frente una rosa de prisa. Después nos reconocemos desde lejos, dando vuelta un camino, y se trasluce la mano oscura de Pablo entre la mano blanca de Tom, pasan bajo los túneles y el sol las cruza y sus oscilaciones gravitando. Él y yo, transidos otras veces tumbamos pesadas manzanas, es de noche, es de noche, ahuyentan las misteriosas veladuras del cielo, pero de repente no me acuerdo de cuál de los dos estoy hablando.

TRISTEZA

Duerme el farero de Ilela y debajo de las linternas fijas, discontinuas, el mar atropella las vastedades del cielo, ahuyentan hacia el oeste las resonancias repetidas, más arriba miro, recién construyéndose, el hangar de rocíos que se caen. En la mano me crece una planta salvaje, pienso en la hija del farero, Mele, que yo tanto amaba. Puedo decir que me hallaba cada vez su presencia, me la hallaba como los caracoles de esta costa. Aún es la noche, pavorosa de oquedades, empollando el alba y los peces de todas las redes. De sus ojos a su boca hay la distancia de dos besos apretándolos, demasiado juntos, en la frágil porcelana. Tenía la palidez de los relojes, ella también, la pobre Mele, de sus manos salía la luna, caliente aún como un pájaro prisionero. Hablan las aguas negras, viniéndose y rodándose, lamentan el oscuro concierto hasta las paredes lejanas, las noches del Sur desvelan a los centinelas despiertos y se mueven a grandes saltos azules y revuelven las joyas del cielo. Diré que la recuerdo, la recuerdo; para no romper la amanecida venía descalza, y aún no se retiraba la marea en sus ojos. Se alejaron los pájaros de su muerte como de los inviernos y de los metales.

LA QUERIDA DEL ALFÉREZ

Tan vestidos de negro los ojos de Carmela (Hotel Welcome, frente a la prefectura) fulguran en las armas del alférez. Él se desmonta del atardecer y boca abajo permanece callado. Su corazón está hecho de cuadros negros y blancos, tablero de días y noches. Saldré alguna vez de esto, cantan los trenes del norte, del sur y los ramales. El viento llena de pájaros y de hojas los alambres, las avenidas del pueblo.

Para reconocerla a ella (Hotel Welcome, a la izquierda en el corredor) basta la abeja colorada que tiene en la boca. Un invierno de vidrios mojados, su pálido abanico.

Hay algo que perder detrás del obstáculo de cada día. Una sortija, un pensamiento, algo se pierde. Por enfermedad tenía ese amor silencioso.

Apariciones desoladas, los pianos y las tejas, dejan caer el agua del invierno de la casa del frente. El espejo la llamaba en las mañanas sin embargo. El alba empujaba a su paisaje indeciso. Ella está levantándose al borde del espejo, arreglando sus recuerdos. Conozco una mujer triste en este continente, de su corazón emigran pájaros, el invierno, la fría noche. (Hotel Welcome, es una casa de ladrillos.)

Ella es una mancha negra a la orilla del alférez. Lo demás son su frente pálida, una rosa en el velador. Él está boca abajo y a veces no se divisa.

ORDEN DEL LIBRO